THE WORLD OF

FLASHPOINT

THE WORLD OF FLASHPOINT

BATMAN: KNIGHT OF VENGEANCE

BRIAN AZZARELLO writer

EDUARDO RISSO artist

PATRICIA MULVIHILL colorist

CLEM ROBINS letterer

Batman created by BOB KANE

REVERSE-FLASH

SCOTT KOLINS writer

JOEL GOMEZ artist

BRIAN BUCCELLATO colorist

SAL CIPRIANO letterer

WONDER WOMAN AND THE FURIES

DAN ABNETT ANDY LANNING writers

SCOTT CLARK DAVID BEATY AGUSTIN PADILLA JOSÉ AVILÉS artists

NEI RUFFINO VAL STAPLES ANDREW DALHOUSE colorists

TRAVIS LANHAM letterer

EMPEROR AQUAMAN

TONY BEDARD writer

ARDIAN SYAF VICENTE CIFUENTES DIANA EGEA artists

KYLE RITTER colorist

JARED K. FLETCHER letterer

배리 앨런은 전혀 다른 세상에서 눈을 뜬다. 하지만 그곳은 환상도, 평행 지구도 아닌 세상이다. 무언가, 누군가 시간을 바꿨고 배리의 세상마저 바꿔 버렸다. 그리고 이 세상은 안전하지 않다.

이곳은 아마존의 원더 우먼과 아틀란티스의 아쿠아맨 사이에 벌어진 전쟁으로 벼랑 끝에 몰린 세상이다. 이들은 전쟁이 힘없는 자들에게 끼치는 피해는 신경 쓰지 않았고, 그 결과 유럽 대부분이 그들의 지배를 받거나 파괴되었다. 그렇게 세상은 두려움 속에 빠졌다. 히어로들이 모여 저항 세력을 만들지만 이 세상에는 히어로 자체가 많지 않다. 아무도 플래시나 저스티스 리그나 슈퍼맨에 대해 알지 못하며 할 조던은 그린 랜턴 반지를 받은 적도 없다. 게다가 브루스 웨인은 어렸을 때 크라임 앨리에서 살해당했다.

배리는 능력도, 친구도 없는 상태에서 이 세상의 배트맨이자 브루스의 아버지인 토마스 웨인을 찾아간다. 아버지가 아닌 아들이 죽은 이 현실의 배트맨은 세상을 되돌리기 위해 플래시와 힘을 합치기로 한다. 그들이 실패하면 비극적으로 망가진 세상은 영영 복구될 수 없다.

이 세상은…

플래시포인트: 월드 오브 플래시포인트

초판 1쇄 인쇄일 | 2023년 6월 15일
초판 1쇄 발행일 | 2023년 6월 25일

글 | Brian Azzarello · Tony Bedard · Scott Kolins · Dan Abnett · Andy Lanning
그림 | Eduardo Risso · Ardian Syaf · Vicente Cifuentes · Diana Egea · Joel Gomez
Scott Clark · David Beaty · Agustin Padilla · José Avilés
옮긴이 | 안영환
발행인 | 윤호권
사업총괄 | 정유한
편집 | 백소용
마케팅 | 정재영

발행처 | (주)시공사
출판등록 | 1989년 5월 10일(제3–248호)

주소 | 서울 성동구 상원1길 22 6–8층(우편번호 04779)
전화 | (02)2046–2800
팩스 | (02)585–1755
홈페이지 | www.sigongsa.com

ISBN 979–11–6925–718–3 07840
ISBN 978–89–527–7352–4(set)

*시공사는 시공간을 넘는 무한한 콘텐츠 세상을 만듭니다.
*시공사는 더 나은 내일을 함께 만들 여러분의 소중한 의견을 기다립니다.
*잘못 만들어진 책은 구입하신 곳에서 바꾸어 드립니다.

덴트 얼굴에
한 방 날릴 줄
알았는데요.

상상 속에서
해 봤고…

그래서
안 했어요.

뭐 하나
물어봐도
됩니까?

이미
하나
하셨네요.

이 세상이
좋은 세상은
아니죠.
바꿀 수 있다면
그럴 겁니까?

토마스….

그래서 제가
이 일을 하는
겁니다.

조커의 행방에 대한
단서가 있나요?

미쳐 돌아갈
법한 거요?

죄송합니다.

"이 세상은
나쁜
세상이야…"

"그래서
우리가 이 놀이를
하는 거지.
자, 시작해
볼까…"

SPLAAAASH

"조커에 대한
단서를
찾았다더군요."

조커로 이어지는
선을 끌어오진
못했지만…

점은 몇 개
찾았어요….

그 점들을 이으면
선이 되겠죠.

오전 4시 15분,
한 해병이 강에서
시신경 다발을 건졌어요.
시체도 딸려 왔죠…
눈알은 사라졌고요….

신원미상
존 도?

앞도 못 보고
익사했네요.

이틀 전
랜들이 퇴근 시간에도
집에 오지 않자, 어머니가
실종 신고를 했대요.

직업이?

아캄 근처에서
피자를
배달했어요.

피자집에서는
차량 도난 신고를 안 했는데,
아무래도 렌탈 차량을 적당히
구입한 거라, 도난을 당했어도
딱히 찾을 생각이
없었나 봐요.

존 랜들이에요.
주머니에
지갑이
있었어요.

눈알도
같이.

그걸
제가 찾았죠….

오라클?

복사 후…

…인코드.

셀리나,
해병이 찾은
시체--

존 랜들.

신원은 나왔단 얘기군.
피자집 대리점을 전부 체크해 봐.
우선--

--어디로
배달 중이었는지
알아보라고요? 토마스,
짐도 몇 시간 전에
알아 간 정보예요.

--

짐이
또 뭘 알지?

짐이 아무
말도--

…안 돼. 짐,
안 돼요.

SECURITY 1 CAL
FAILED

망할, 폰이
꺼져 있어….

브리스톨
타운십…
랜들 차량의
위치는…

DC COMICS PROUDLY PRESENTS

SCOTT KOLINS: WRITER   JOEL GOMEZ: ARTIST
BRIAN BUCCELLATO: COLORIST   SAL CIPRIANO: LETTERER
ARDIAN SYAF, VICENTE CIFUENTES, AND KYLE RITTER: COVER
CHRIS CONROY: EDITOR

REVERSE-FLASH:

...MY REVENGE

리버스 플래시:
나의 복수

내 이름은 에오바드 쏜.
히어로가 신화로 여겨지는
25세기에서 왔다.
플래시는 나의 영웅이었으나,

이젠 그를
증오한다. 플래시

파괴했다….

그가 내 최고의
실험을 파괴했다….

다 계획해 뒀는데.

내가 전부 다
설계해 뒀는데.

내가 25세기의
플래시였어야
했다.

모두가 나를
숭배했어야 했다.

히어로가 없는 시대의
세상에서 제일 빠른 남자는
나였어야 했다.
내가 모든 걸 가졌어야 했다.

아무도 날 막을 수
없다.

하지만⋯
배리 앨런이 있었다.

배리 앨런. 파괴자.

세상을 보는 그의
좁은 시야⋯.

⋯거기에 그 옹졸한
질투심까지⋯. 그가
내 미래를 앗아갔다.

나를 가두다니.

내가 플래시의 미래를 앗아갈
시간이었다.

내 영웅을 죽일
시간이었다.

내가 어떻게 스피드 포스와 영구적으로
연결된 건지 아무도 몰랐다.

내가 발견한
플래시의 에너지 원천과

나의 패배. 끝을 알 수 없는 증오가
무리한 행동으로 이끌었다.

멍청했다. 배리는 이미 능력에 대한
1년의 경험이 있었다. 나보다 숙련됐다.

나의 우매함이
처벌로
이어졌다.

나는 절박했다.

희망을 잃었다.

하지만 중요한 걸 깨달았다.

배리를 아프게
할 방법을
알아냈다.

배리를 죽일 수 없다면--

WHAP

--배리의 사랑을
죽인다!

매 시간 시도할 것이다.

매번 전보다 더
잔인한 방법으로.

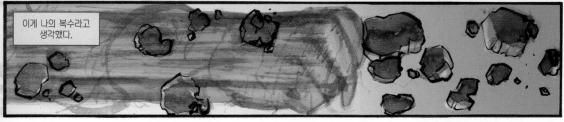

이게 나의 복수라고
생각했다.

아니었다.

다른 법칙도 이제야 알았다-- 또 다른 플래시 팩트.

내가 아무리 노력하고--

아무리 근접해도--

나는 절대 그 여자를 죽일 수 없다는 걸 깨달았다. 배리가 언제나 나를 막을 방법을 찾아냈기에.

다시 시도하면 안 된다는 걸 어렵게 깨달았다.

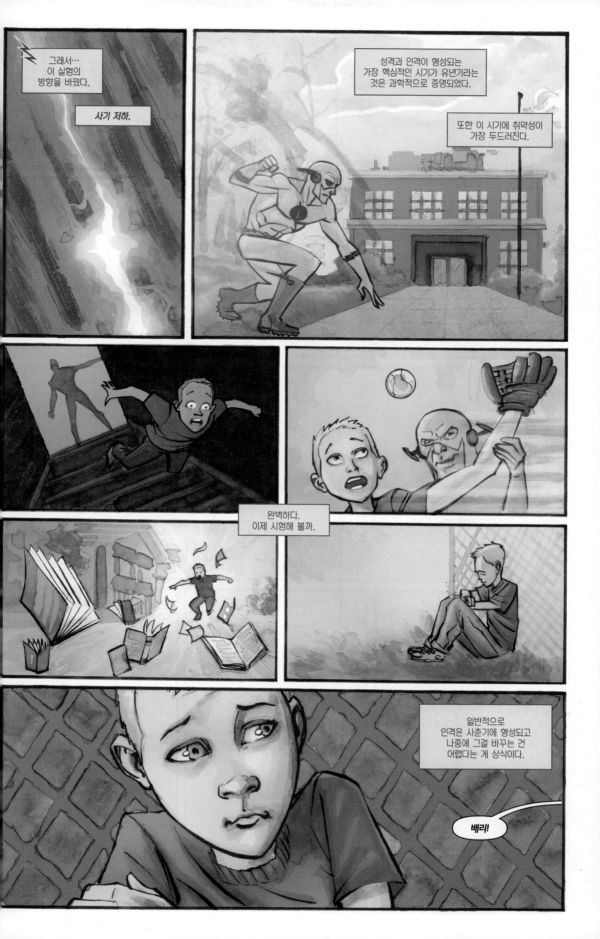

완벽하다.
또 다른 시행이다.

...안녕, 더그.

이번 주... 별로야.

배리, 왜 그렇게 표정이 안 좋아?

나도 그럴 때 있어. 해결책은?

? 코믹스!

제이가 최고야. 멋진 능력들이 있는데도 나쁜 놈을 잡을 때 머리를 함께 쓰거든.

난 그래도 파워 링이 더 멋져. 그 어떤 악도 내 시야를 벗어나지 못하리라!

던져! 팔 힘 좋잖아-- 나랑 같은 야구팀 들어가자!

정말 나 괜찮아?

우리 팀원들, 분명 다 좋아할걸?

이런.

이번만큼은 내 새 이론을 증명할 시간이다, 꼬마야.

무슨--

성공했다.

시간에서 소멸시켰다.
삭제한 것이다.
더그는… 존재하지 않는다.

배리에게는
절친이 존재하지 않았던 거다.
절친이 있었다는 사실조차 모른다.

배리는
혼자가 되었다.

하지만 배리는 여전히
존재하고 나 역시
존재한다. 완벽하다.

이제… 나의
최종 논문이다.

노라, 다 됐어. 나 출근할게. 점심 같이 먹을 거지?

--잠깐.

아, 헨리. 나 배리가 너무 걱정돼···. 애가 잔뜩 주눅이 들었어.

아직 우리가 필요한가 봐.

우리 없으면 큰일 나겠지?

괜찮을 거야. 배리가 얼마나 꿋꿋한 아이인데. 그리고 우리가 왜 없어져.

뭐가 걱정돼서 그래?

그래-- 당신 말이 맞아. 좀 전에 배리가 집을 나서는데 갑자기 등골이 오싹하더라고.

대학등록금부터 걱정하자구--. 미리 준비해 둬야 할걸? 머리가 정말 좋아서 금방 의사가 될 테니까!

뭐, 언제나 남을 돕는 아이긴 하지--. 누군가를 돕는 일엔 최고니까···.

사랑해-- 출근 잘--

정문에 누가 왔나 봐. 자기는 먼저 가, 내가 확인할게--.

KNOCK KNOCK

한 달 뒤…

나는 히폴리타, 아마존의 여왕이다.

실종됐던 나의 딸 다이애나가 돌아왔다.

딸을 데려다준 고귀한 방문객들에게 무한한 감사를 전한다.

테미스키라는 아틀란티스에게 우정의 손길을 내밀 것이다.

인류에게 배척당하고 떨어져 살아온 고대인이라는 점에서 우리 두 왕국은 무척이나 닮았다.

또한 양쪽 모두 전사의 나라로 언제든 전투에 나설 준비가 되어 있다.

나의 자매 펜테실레이아가 다이애나를 데려온 여러분을 적으로 착각했을 때 우리의 공세를 보았을 것이다.

제 투사 아르테미스의 오해로 벌어진 일에 사죄 드렸습니다, 여왕님.

저희도 그 사과를 받아들였습니다.

저와 왕의 피후견인 가스 또한 아마존은 무자비하다는 선입견 때문에 미숙하게 대응했습니다.

아틀란티스, 14년 전….

그는 그녀를 살리기 위해
자신의 왕국으로 데려갔다.
그는 그녀의 반려자가 되었다.

Wonder Woman AND THE FURIES 원더우먼과 퓨리즈 파트 2: 희생
PART TWO: THE SACRIFICE

그들의 목적은 하나였다….

미래.

이건
아마존과 아틀란티스
양쪽 모두에게 중대한
문제야, 다이애나.

DAN ABNETT & ANDY LANNING write

AGUSTIN PADILLA – penciller   JOSE AVILES – ink

10년 아니면 20년 안에는
우리 세상을
저 밖에 알려야 해.

두 왕국은 신화라는
그림자 속에 너무 오래
숨어 있었어.

세상은 우릴
두려워할 거야.

그렇겠지.

통합은
필수적이야. 영원히
숨을 수는 없어.

이 세상을
그들 자신으로부터
지켜야 해.

우리의
기술과 지혜로
함께 세상을
이끌어--

"함께"는 과한
표현 아냐?

VAL STAPLES – colorist   TRAVIS LANHAM – letterer
SCOTT CLARK & DAVE BEATY w/NEI RUFFINO – cover
DARREN SHAN – asst. editor   BRIAN CUNNINGHAM – editor
WONDER WOMAN created by WILLIAM MOULTON MARSTON

속보를 전해 드릴 잭 라이더입니다.

아마존의 섬 테미스키라 파괴로 전 세계가 혼란에 빠졌습니다.

알려진 바에 따르면 아틀란티스 왕족을 살해하기 위해 아마존이 스스로 고향섬을 파괴했다고 합니다.

이 사태는 아틀란티스의 아마존 궁 공격 직후 벌어졌습니다.

아틀란티스의 아서왕은 폭발에서 살아남았으며,

이 결정에 따라 아마존 군대는 영국을 무력으로 침공 중입니다.

오늘 밤에도 영국 거리에서는 뼈아픈 전쟁이 계속되고 있습니다.

원더 우먼으로 알려진 아마존의 여왕은 스트라스부르에서 열린 유럽 연합 회담장에 모습을 드러내 영국 침공의 당위성을 주장했으며, 의회의 항의를 받아들이지 않았습니다.

세계 각국 정상들의
회담이 열리기 전
아서왕은 두 고대 왕국
사이의 전쟁 발발을
공식화했습니다.

나흘 전, 피난민을 태운
아마존 공중 편대가
영국에 도착했고…

…영국 당국은 아마존의
평화적 성소 제공 요구에
거절 의사를 표했습니다.

발언 도중
유럽 국가들을 위협하는
언급도 한 것으로
전해졌습니다.

원더 우먼은
자신들의 대의에 동참할
여성 초능력자를 모아
퓨리즈를 결성했습니다.
이들은 아마존 군대의 선봉에
설 왕실 근위대입니다.

세계는 크게 우려하며
벼랑 끝에 선 이 갈등이
해소되기만을 하염없이
기다리고 있습니다.

"뉴 테미스키라." 도버 해안….

이 방어 체계는 객관적으로 취약합니다, 여왕님.

영국이 이걸로 바다 건너 적을 막아 냈다는 사실이 놀랍네요.

호크걸, 내 권한을 줄 테니 퓨리즈와 함께 그대의 방식으로 방어 체계를 구축해라.

고결하신 여왕님. 이자가 전에 말했던 마르코비아인 입니다.

그대가 왕족 타라 마르코브인가?

제 가문의 이름은 어리석은 오빠의 멍청한 선택으로 사라졌습니다.

여왕님 곁에서 싸워 다시 기회를 얻고자 합니다.

그대의 탁월한 능력이 큰 도움이 될 것이다--.

여왕님! 아틀란티스입니다!

여왕님…. 정녕 바다 여왕의 투구를 쓰시려는 겁니까?

아르테미스, 이건 전리품을 넘어 이 전쟁 때문에 모두가 치른 대가를 의미하는 거야.

시신은 돌려주어라….

"…역겨워서 더는 보고 싶지 않으니."

안돼애애애!

정찰선이… 그녀를 발견했어, 아서. 유감이야.

옴, 지진파 장치 작동시켜.

가라앉힌다.

모조리 죽여.

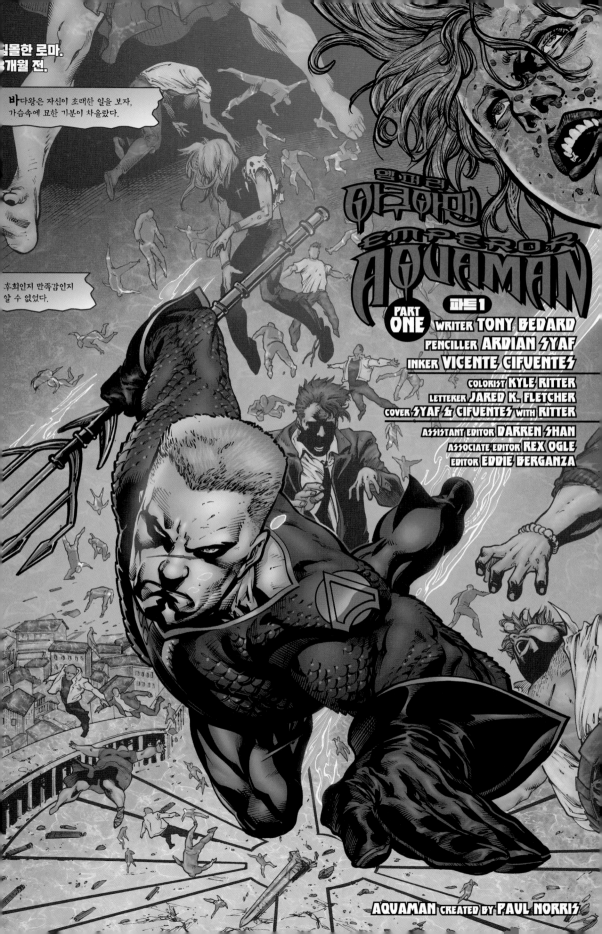

몰락한 로마.
3개월 전.

바다왕은 자신이 초래한 일을 보자,
가슴속에 묘한 기분이 차올랐다.

후회인지 만족감인지
알 수 없었다.

엠퍼러
아쿠아맨
EMPEROR
AQUAMAN

PART ONE 파트 1

WRITER **TONY BEDARD**
PENCILLER **ARDIAN SYAF**
INKER **VICENTE CIFUENTES**

COLORIST **KYLE RITTER**
LETTERER **JARED K. FLETCHER**
COVER **SYAF & CIFUENTES WITH RITTER**

ASSISTANT EDITOR **DARREN SHAN**
ASSOCIATE EDITOR **REX OGLE**
EDITOR **EDDIE BERGANZA**

AQUAMAN CREATED BY PAUL NORRIS

기뻐하러 온 것도, 슬퍼하러 온 것도 아니었다.

그저 전쟁에서 완패한 적들을 두 눈으로 직접 보기 위함이었다.

하지만 바다왕은 그곳에서 여전한 생명력을 지닌 미켈란젤로, 베르니, 라파엘을 마주할 거라고는 예상하지 못했다.

시대를 초월한 걸작이
어머니 바다의 염분에
파괴되었지만 작품의 감동은
아직 살아 있었다.

특히 홍수에도
기적적으로 깨지지 않고
남은 스테인드글라스
하나.

바다왕은 갑작스레
가슴 깊이 고통을
느꼈다…

마르코비아.
11개월 전.

대통령님,
국무총리님, 수상님….

우리는 아틀란티스와
테미스키라가 정략결혼을
통해 연합하는 상황을
경계해 왔습니다.

테미스키라는 사라졌고,
아마존은 영국을 점령했습니다.
아마존이 군대를 이끌고
영국 해협을 건너려는 움직임도
정찰 위성으로 확인됐습니다.

어떻게 하면
좋겠습니까, 브리온왕?
그들의 전투력을
보셨을 텐데요….

그런데
오히려 저들의
파혼으로 우리가
손해를 보다니.

명백하지 않습니까?
다이애나와 퓨리즈를
막을 수 있는 유일한 남성과
동맹을 맺어야죠.

황제 아쿠아맨과
함께하는 겁니다.

하지만 그는 전쟁을
시작한 자입니다!
혼인하는 날
다이애나의 모친을
살해했습니다!

그럼
이 시나리오에서
히틀러는 다이애나인
겁니까?

수상님, 모든 영국인을
강제 수용소로 보낸답니다.
둘이 다를 게 없어요.

절박한 시기입니다,
대통령님.

공동의 적을
앞에 두고
처칠도
스탈린과 손을
잡았어요.

"애초에 너의 추악한 계획에 그녀를 끌어들이는 게 아니었어…."

베니스.
현재.

지나치게 노출되어 있습니다, 브리온 전하. 부디 재고해 주시--

고맙네, 키로프 대령. 하지만 아틀란티스 왕이 여기서 만나자고 했으니 약속은 지켜야지.

알겠습니다. 대신 말씀하실 때마다 귀를 만지지는 말아 주십쇼. 배신으로 의심할 수 있습니다.

내가 근위대와 동행할 거라는 예상은 이미 하고 있을 거야. 도를 넘어서 끼어들지만 마.

신뢰한다는 증거로 "노출"돼 있는 거니까.

BLP BLp

평화에 다가서려면, 결국 위험을 감수해야 하는 법.

변절자들에 대해 사과 드리지요. 저는--

아틀란티스의 여왕--?!

저는… 남편분이 올 거라 예상 했습니다.

그리고 저를 죽이기 위해 심복을 보냈구나 생각했죠.

아서가 제게 맡겼어요. 제 판단을 믿거든요.

저자에게 중력 조작 능력을 사용한 건가요?

네.

저를 잘 조사해 두셨군요.

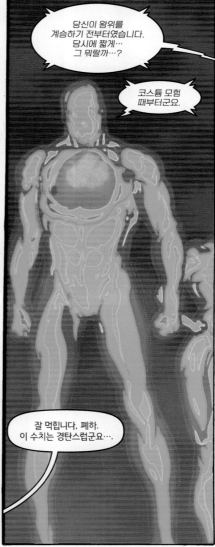

당신이 왕위를 계승하기 전부터였습니다. 당시에 짧게… 그 뭐랄까…?

코스튬 모험 때부터군요.

잘 먹힙니다, 폐하. 이 수치는 경탄스럽군요….

결과가 어떻든 여왕은 완벽하게 자신의 역할을 해냈어.

"암살자" 셋을 아틀란티스로 데려가 문책하겠다는 여왕의 말을 들은 마르코브는 부디 그들을 선처해 달라고 간청하기까지 했지.

애초에 여왕은 경화된 물창을 병사의 등에 꽂지도 않는데 녀석은 너무 놀란 나머지 그걸 알아차리지도 못했어.

마르코브가 여왕과 상호 보안 조약을 맺는 동안 벌코가 신체를 스캔해 이 기기를 완성할 수 있었던 거야.

물론 형이라면 다른 길을 찾았겠지. 하지만 형에게 남은 선택지는 하나잖아….

…저들이 여왕에게 한 짓이 있으니.

CHUK

로마.
8개월 전.

조약은 준비됐고, 카메라도 완료됐습니다…. 그런데 브리온왕과 아쿠아맨은 어딨죠?!

어제 함께 저녁 식사를 했다고 들었는데 그 후로는 아무도 모릅니다.

기다려 보죠. 브리온왕께서 바다왕을 친구라 하셨으니.

바티칸에서 조약을 체결하자는 것도 브리온왕의 발상이었죠?

네. 국왕 말씀으로는 황제 아쿠아맨이 유년기를 육지에서 보냈고 가톨릭 학교도 다녔다더군요.

이 장소에서 아서가 어린 시절을 떠올리고 지상 세계에 친밀감을 느끼길 바라신 듯합니다.

브리온왕의 바람은 그보다 원대합니다, 대통령님. 궁극적으로 아서와 그의 백성에게 우리 구원자의 위대한 교육을 알리고자 하십니다.

진정한 힘은 관홍함에서 나오는 것이니 우리 모두 타인에게--

RRRMMMBBLLL
RRRMMMBBLLL

이게 무슨--?

지진이다!

--다음에는
잉크처럼 까만 지중해의
포효에.

CHANK

일어나라, 옴. 로둔 장군에게 함대 준비 명령을 내려.

그럼 이제 자책은 끝난 건가?

그래. 복수할 준비가 됐어.

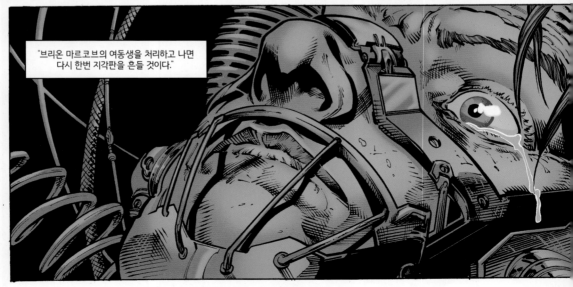

"브리온 마르코브의 여동생을 처리하고 나면 다시 한번 지각판을 흔들 것이다."

영국 해협.
현재.

바다왕의 적들은 자신들이 안전하다고 착각하며
위치가 훤히 드러난 곳에 숨었다.

역사는 안주한 자들의 시체로 어질러졌다.

일곱리
아쿠아맨
EMPEROR
AQUAMAN

PART
TWO 파트 2

WRITER TONY BEDARD
PENCILLER VICENTE CIFUENTES
INKERS DIANA EGEA
AND VICENTE CIFUENTES

COLORIST KYLE RITTER
LETTERER JARED K. FLETCHER
COVER SYAF & CIFUENTES WITH RITTER

ASSISTANT EDITOR DARREN SHAN
EDITOR EDDIE BERGANZA
AQUAMAN CREATED BY PAUL NORRIS

저기다--.
뉴 테미스키라.

아닙니다. 옴 왕자님.
저와도 싸워 이기시는 분인데
제가 어찌 감히
의심하겠습니까?

그러나 왕족이
직접 적진에 뛰어드는 건
위험 부담이 너무
큽니다.

위험을 감수하지
못해서야 어찌 여왕의
복수를 이루겠는가?

페하, 도박처럼
대하실 일이 아닙니다.
제 언니의 영혼을 걸고
반드시 성공하겠습니다.

성공하지 못한다면
사이렌, 내 실망을 그대로
받게 될 거야….

예상과 달리, 바다왕은 수년 전
아버지에게 들었던 얼굴 한 번
보지 못한 어머니에 대한 이야기를
머릿속에 떠올렸다….

하지만 아틀란티스인이 이 아이에 대해 놓친
사실이 있었다. 놀랍도록 중대한 사실.

한 세대에 한 번씩, 어머니 바다는
특정 개체에게 축복을 내린다.
바다 생명들과 대화할 수 있는
능력이었다.

모든 어류, 모든 연체동물,
모든 플랑크톤, 모든 산호충이
이 바다왕을 따랐다.

바다 생물들은 절대 이 어린 바다왕을
죽게 두지 않았다. 왕의 출신을 알게 된
그들은 왕을 제자리로 돌려두었다….

…그의 아버지가
안전하게 키울 수
있도록.

해저인들은 자연의 법칙을
벗어난 삶을 살았기에 이 깊은
지식을 알지 못했다.

뉴 테미스키라.
현재.

눈에 띌 것 같은데,
안개를 더 만들까?

아니. 얼마나
남았는지 보면서
올라가야겠어,
사이렌….

"…방파벽에 오른 다음부터는
템스강을 헤엄쳐 가면 돼…."

"…그렇게 퓨리즈의 궁으로
아래쪽에서 잠입하는 거야."

정보에 따르면
아침에는 이곳 남쪽에
위치한 정원에서
시간을 보낸다더군.
따라와….

24분 뒤.

저 여자야.
타라 마르코브.

죽이기 쉽게
알아서 분수대
옆에 있네….

…경화한 물로
두개골에 바로 구멍을
낼 수 있었어.

≶흐음≷

바다로 복귀하라는 바다 생물들의 찬가나
간청을 듣지 않으려 노력하며
등대에서 자랐다.

아버지는 그가 아틀란티스로 돌아가는 것은 자살 행위나
다름없으니 환청은 무시하고 학업에
집중하라고 단호히 일렀다.

열세 살
생일 축하해, 아들.
소원 빌자….

아빠,
집에 가고
싶어요.

여기가
집이야, 아서.

무슨
말인지
아시잖
아요….

…저 아래
왕국이 있어요,
저의 왕국이.
모든 물고기가
알아요….
갈매기도 다….

그걸
아빠만 모르시는
것 같––

KERRASH

토마스 커리에게 그것은 외상 후 스트레스와도
같은 것이었다. 살면서 유일하게 사랑했던
여인을 잃은 날. 그는 아들만큼은
빼앗기지 않겠다고 굳게 마음먹었다.

아틀란티스인들은 약하면 고통 받는다고,
행운의 여신은 강한 자의 편을 든다고
믿었으며, 아서는 그 어떤 아틀란티스인보다
강했다.

모든 바다 생명은 그의 의지에 굴복했다.
죽은 선왕이 후계자로 키운 옴마저도
아서가 어머니 바다에게 선택받은
자임을 인정하고 물러났다.

다이애나 여왕, 아마존의 "원더 우먼"은 세상에서 가장 날카로운 여성들을 근위병으로 모았다.

신화 속 퓨리즈의 분노 그 이상을 품은 그들은 자신들을 퓨리즈라 칭했다.

런 퓨리즈도 공포의 지휘관 아래에서는 포를 느꼈다. 그녀의 힘과 기량에는 구도 맞설 수 없었다….

WHOOSH

SKOOM

런던, 웨스트민스터.

도버,
영국 남해안.

유럽 전역에 걸쳐
지진 피해가
발생했습니다,
여왕님.

아틀란티스가
발악을 하는구나.

우리가 바다 왕국에
잠길 때까지 계속해서
홍수를 일으키겠지.

으이아아아악!

테라?

여왕님!
여왕님!

오빠가!
오빠랑 감정이
연결돼 있어서
제게도 고통이
전해져요!

저들은
브리온의 능력을
이용하는 거예요!

그로 인해
오빠가
죽어가고
있어요!

전사로서는
맞지만 배신자는
아닙니다!

그동안 둘이
무슨 짓을
꾸민 겁니까?

겁쟁이 아서와
너는 할 수 없는
일들이다!

두 왕국이 대의를 위해
연합해 세상을 정복하는 것!

약한 것들은
모두 걸러내
제거해야 하느니!

우리 헌신의
진정성을 보이기 위해서는
희생이 따르는 법!

크허어억!

그 희생에
어머니도 포함되는
건가요?!

여왕님!

퓨리즈!
이 악마를 가둬라!

여왕님, 보셔야
할 게 있습니다.

비상 방송 시스템을 통해…
TV… 라디오… 인터넷으로
송출되고 있습니다….

우리가 처음 만났던 전투가 떠오르는군.

나도 기억나.

"아틀란티스인들이 사라진 다이애나를 테미스키라에 돌려주려 했으나 우리는 공격으로 간주했지."

그런 실수는 참 쉽게 한단 말이야.

"그리고 진실을 알게 됐어. 아서와 다이애나가 정략결혼을, 연합을 준비하고 있다는 걸."

"그들은 칼끝이 아닌 심장과 마음으로 미래를 정복하려 했지."

멍청한 것들.

엠퍼러
아쿠아맨
EMPEROR
AQUAMAN

PART THREE 파트3

WRITER TONY BEDARD
PENCILLER VICENTE CIFUENTES
INKERS DIANA EGEA
AND VICENTE CIFUENTES

COLORIST KYLE RITTER
LETTERER JARED K. FLETCHER
COVER SYAF & CIFUENTES WITH RITTER

ASSISTANT EDITOR DARREN SHAN
EDITOR EDDIE BERGANZA
AQUAMAN CREATED BY PAUL NORRIS

다이애나,
당신이 누굴 탓하든
상관없어--.

--당신은 메라를 죽였어.
투구를 전리품처럼 썼지.

그 죗값을
치러야 할 거야.

드디어 내일이 결전의 날이군….

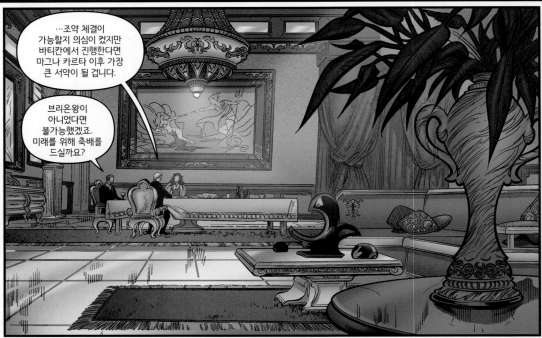

…조약 체결이 가능할지 의심이 컸지만 바티칸에서 진행한다면 마그나 카르타 이후 가장 큰 서약이 될 겁니다.

브리온왕이 아니었다면 불가능했겠죠. 미래를 위해 축배를 드실까요?

"미래를 위해", 좋습니다.

잠깐만요, 브리온왕, 제… 배에 최고급 빈티지 와인이 있습니다.

내가 가서 가져올게, 메라, 우선 따른 잔 비우고 나서.

두 분 정말 친절 하시네요….

둘 다 제압했습니다만, 아틀란티스인은 의식이 없습니다.

그렇다면, 명령이다. 준비 태세.

난 아틀란티스 기함에 탑승했다. 바다왕에게 동생의 배반 사실을 알렸다.

전면전은 아직 피할 수 있을 것이다.

시간이 됐나?

그래.

왕위를 강탈한 형의 실수는 나를 함대 "점검자"로 둔 거야….

CLICK

그러나 주사위는 이미 던져졌다.

어쩌면 아서 커리의 다른 인생에서는 너무 이른 시기에 왕좌로 돌아가지 않았을지도 모른다.

물에서 보낸 아버지와의 삶이 길었다면 동생의 배반을 알아챌 지혜를 갖췄을 것이다.

어쩌면 다른 삶에서 "아쿠아맨"이란 이름은 학살이 아닌 정의를 상징했을 수도 있겠다.

〉크어억〈

멍청하기는! 이런 자와 대화를 시도하는 게 아니었어!

KLANG

KRAK

고통의 안개가 그의 눈을 멀게 했지만--

--그때 마주한 시야는 다른 종류의 고통을 가져왔다···

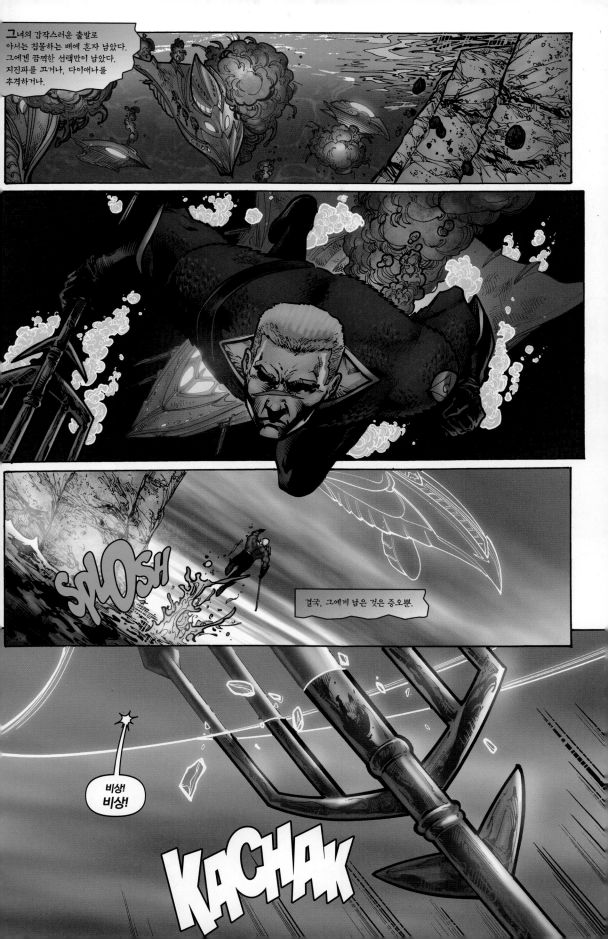